Cómo bailan los
MONSTRUOS

LA COLECCIÓN JOVEN DE ARTES DE MÉXICO

Libros del Alba

Cómo bailan los

MONS

Cómo bailan los monstruos
Artes de México, 2007
Primera edición

Edición: Margarita de Orellana. Diseño: Manelik Guzmán. Corrección: María Luisa Cárdenas.
Fotografía: Portada e interiores: Jorge Pablo Aguinaco, excepto: Gerardo Hellion: p. 25 abajo. George O. Jackson: pp. 28-29.

Todas las máscaras de este libro pertenecen a la colección del Museo Ruth D. Lechuga de Arte Popular.
D.R. © Del texto: Gabriela Olmos, 2007.
D.R. © Artes de México, 2007. Córdoba 69, Col. Roma, 06700, México, D.F. Teléfonos 5525 5905, 5525 4036. www.artesdemexico.com
D.R. © Consejo Nacional para la Cultura y las Artes / Dirección General de Publicaciones /
        Coordinación Nacional de Desarrollo Cultural Infantil, 2007.
        Paseo de la Reforma 175, Col. Cuauhtémoc, 06500, México, D.F. www.conaculta.gob.mx

Como libro en encuadernación rústica:
ISBN: 970-683-176-2, Artes de México
ISBN: 978-970-683-176-7, Artes de México
ISBN: 970-35-1290-9, Consejo Nacional para la Cultura y las Artes
ISBN: 978-970-35-1290-4, Consejo Nacional para la Cultura y las Artes

Como libro en pasta dura:
ISBN: 978-970-683-287-0, Artes de México
ISBN: 970-35-1291-7, Consejo Nacional para la Cultura y las Artes
ISBN: 978-970-35-1291-1, Consejo Nacional para la Cultura y las Artes

Impreso en China

TRUOS

GABRIELA OLMOS

Artes
DE MÉXICO

Consejo Nacional
para la
Cultura y las Artes

Alas y Raíces a los Niños

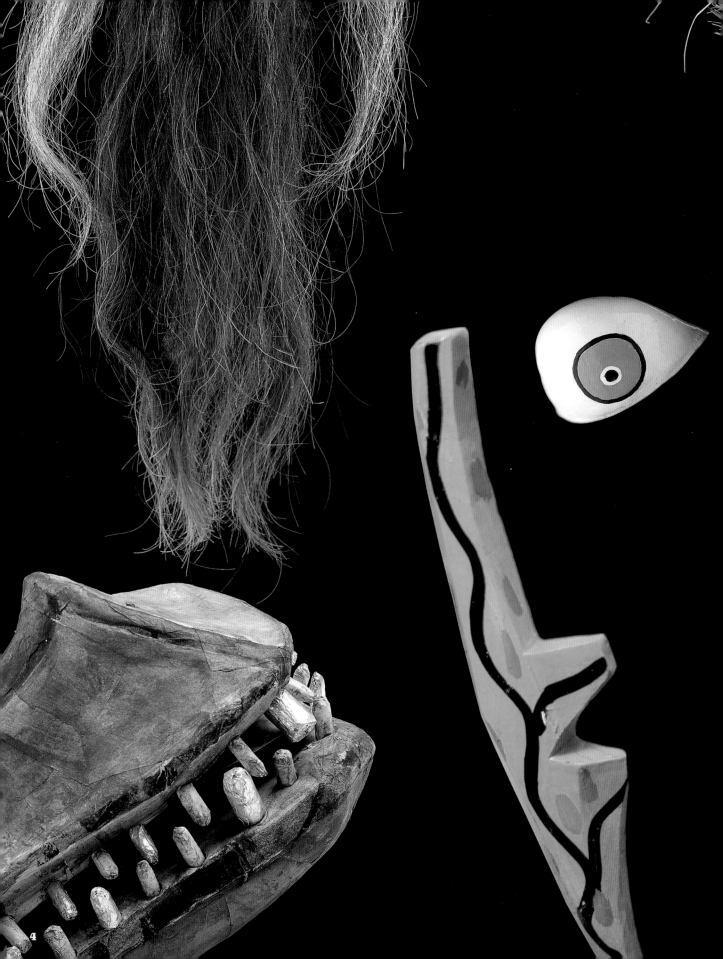

Mi papá era muy extraño: en lugar de ir a la oficina como todos los papás de mis amigos, su trabajo consistía en viajar visitando fiestas para escribir sobre ellas. Ahí bailaba con unos **monstruos** que se parecían a los de mis pesadillas. Lo sé porque una vez me encontré las fotos de uno de sus viajes. Luego le pregunté cómo eran en verdad los **monstruos**. Pero se hizo el que no me entendía. *Y por eso decidí ir con él a su próxima aventura.*

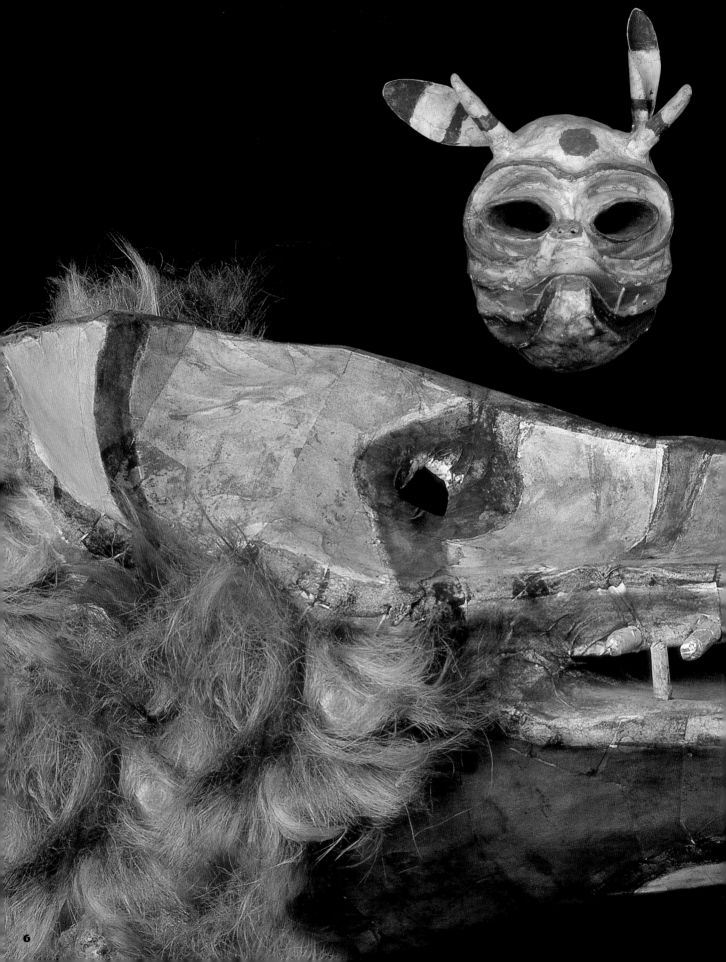

Era la primera vez que lo acompañaba. Él vestía como siempre, con su camisa de **cuadritos rojos** y su pantalón de **mezclilla**. Fuimos a un pueblo de Nayarit. Y ahí los vi por primera vez: unos **animales espantosos** con caras de colores y cabellos muy enredados corrían junto al río. Mi papá decía que eran danzantes, pero eran verdaderos **monstruos**.

Pensé que lo mejor era salir corriendo y esconderme, así que me abracé al pantalón de papá. Pero fue peor, porque él quería quedarse entre los monstruos. Y la pasaba muy bien.

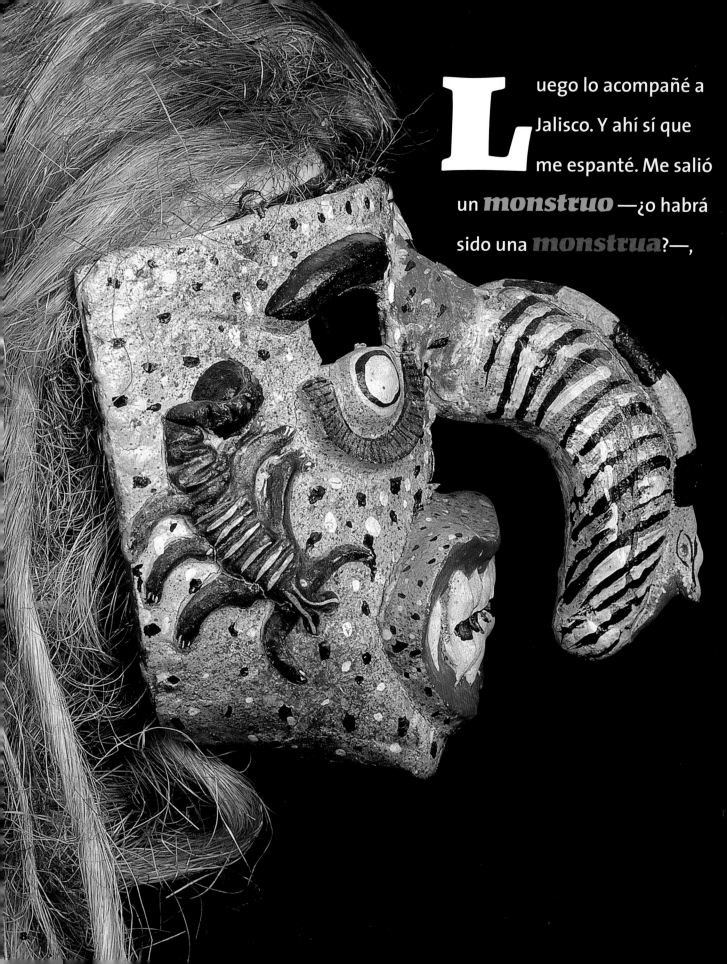

Luego lo acompañé a Jalisco. Y ahí sí que me espanté. Me salió un **monstruo** —¿o habrá sido una **monstrua**?—, que tenía la cara verde y llena de granos. Parecía que se le

arrastraban **bichos** por la cara, y que en cualquier

momento iba a escupir veneno. Papá decía que no

era un *monstruo*, sino una máscara.

Pero es que no escuchó cómo rugía.

Había que escapar en ese momento,

pero él quería seguir bailando.

Y se divertía como si los

monstruos fueran

sus amigos.

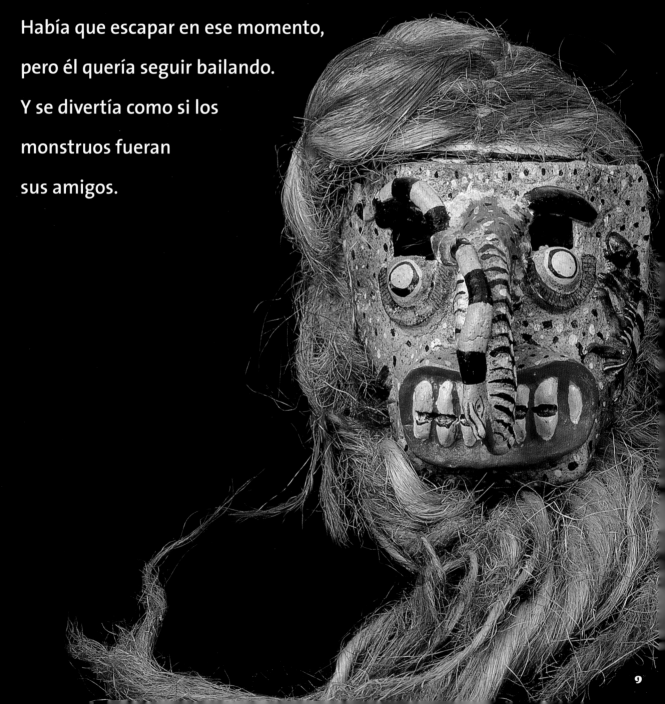

9

Luego, en Veracruz vimos a una calaca que bailaba como si estuviera viva. Se acercaba a papá y le pelaba los **dientes**. Soltaba carcajadas que se oían hasta la luna.

—Jiara, jiara, jiara.

Y papá se reía con ella. Me asusté muchísimo de verlo jugar con la muerte.

—Papito, vámonos —le dije.

—No, Bautista, nos tenemos que quedar aquí porque es mi trabajo.

—Pero es que me asustan los monstruos.

—Ya te dije que no son monstruos sino máscaras, así que nos quedamos.

Como seguí insistiendo me regañó, así que no me quedó más remedio que abrazarme el resto del viaje a su pantalón de *mezclilla*.

Esa noche tuve una pesadilla: papá estaba tan furioso que se convertía en un **monstruo**. Los cuadritos de su camisa se transformaban en **espinas**, y le salían **colmillos, alas puntiagudas, cola y escamas**. Era lo más feo que yo había visto.

En Guerrero, los monstruos que encontramos eran *diablos* que vomitaban *diablos*, que vomitaban *diablos*...

Y, aunque papá se reía con ellos, ese día parecía sentirse muy mal. Así que pensé que, aunque papá podía convertirse en un **monstruo** como el de mi pesadilla, no era tan poderoso: seguramente habían monstruos más horribles a los que él les tenía miedo. Tal vez estaba temblando de terror, y no lo quería decir. Pero como yo sí era muy valiente, decidí luchar contra todos los **monstruos** del mundo.

Contra todos, menos papá.

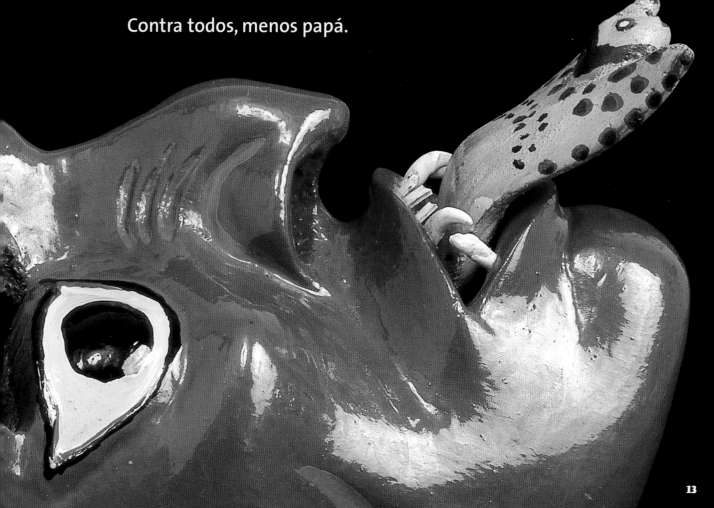

Y a empezaba a hacer un plan cuando viajamos a Sonora.

Ahí vimos a unos monstruos con barba y bigotes

largos y enredados como los perros viejos.

Había de todas formas... **altos**, **chaparritos**,

rojos, azules... Cerré mis ojos para juntar

todas mis fuerzas y corrí contra ellos para

deshacerlos a golpes. Pero papá me detuvo,

me dijo que no debía golpear a los

danzantes, y me sacó cargando

de ahí. Me daba miedo que en

los cuadritos de su camisa

comenzaran a salir **espinas**,

como había sucedido en mi

pesadilla, y que se convirtiera

en ese instante en un

monstruo horrible.

Por eso traté de no hacerlo

enojar.

En Guanajuato fue todavía peor: vimos a un monstruo con **cara de mano,** que tenía las garras afiladas y muchísima sangre. Daba latigazos por las calles, pero papá no me dejaba acercarme a él. Me dijo que yo estaba muy pequeño para eso.

—Pero yo soy muy valiente, papá. Y no les tengo miedo.

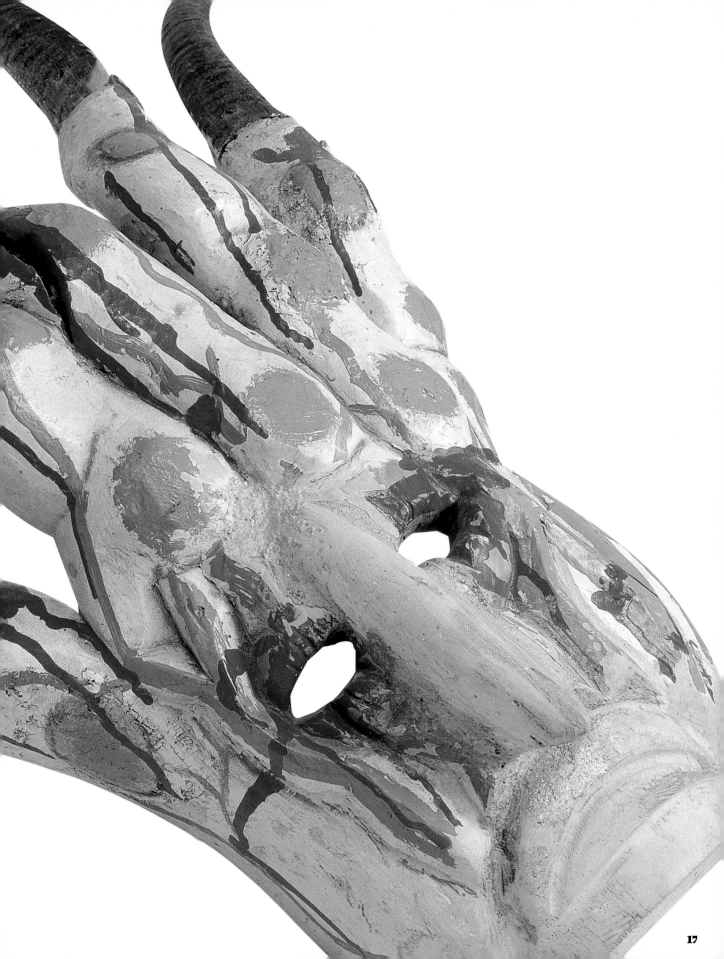

Caminaba por Guerrero cuando escuché ruidos espeluznantes. **—Grr, Aghrr.**

¡Eran los monstruos-tigre que vivían por ahí! Bailaban como si persiguieran ratones, y luego se subían a los árboles. Traté de atrapar a uno de ellos, pero rugió tan fuerte que me asusté. Busqué a papá, pero no estaba por ninguna parte. Me puse a llorar al pie de un árbol cuando brincó junto a mí otro de los **monstruos-tigre** que estaba escondido entre las ramas.

—¿Por qué lloras, Bautista?

—Es que tengo mucho miedo de los **tigres** como tú. ¡Son como las pesadillas!

Y me explicó que los monstruos son tan feos porque se alimentan de todas las cosas que a nadie le gustan, como **las moscas, los ratones, los perros muertos, la mugre...** También me dijo que los monstruos no hacen daño y que son amigos de papá porque a ellos les gusta mucho bailar. Luego me abrazó tan fuerte que dejé de llorar. Y me quedé dormido acurrucado en la camisa de cuadritos del **monstruo-tigre.**

Luego viajamos a Oaxaca. La música de la fiesta era muy bonita. Me gustó tanto que me dieron ganas de bailar. Y que me salen los monstruos que vivían ahí. Lo increíble es que el *monstruo-tigre* que me había consolado en Guerrero se había devorado en aquel abrazo todo mi miedo, así que hasta bailé con ellos. Y, mientras tanto, me hacían muecas y me sacaban la lengua.

¡Eran tan divertidos!

**E**n un viaje a Michoacán escuché *"clic, clac, clic, clac".* Era el bastón de un viejo chimuelo que a lo mejor era un monstruo. Eso fue lo que pensé primero, hasta que lo vi reírse con la gente. En todo caso, era un viejo feo, como decía papá. Él me cargó mientras bailaba con el viejito. Y la pasé muy bien. Me gustaba hacerle caras y rugir con todas mis fuerzas, porque papá me dijo que los monstruos se asustan cuando ven a los humanos enojados.

Entonces entendí que papá era muy inteligente porque sabía cómo molestar a los **monstruos,** pero no quería hacerlo. Al contrario, se hacía su amigo para convencerlos de que se tragaran justo lo que a él no le gustaba. ¡Ojalá no se olvidaran de comerse al director de la escuela!

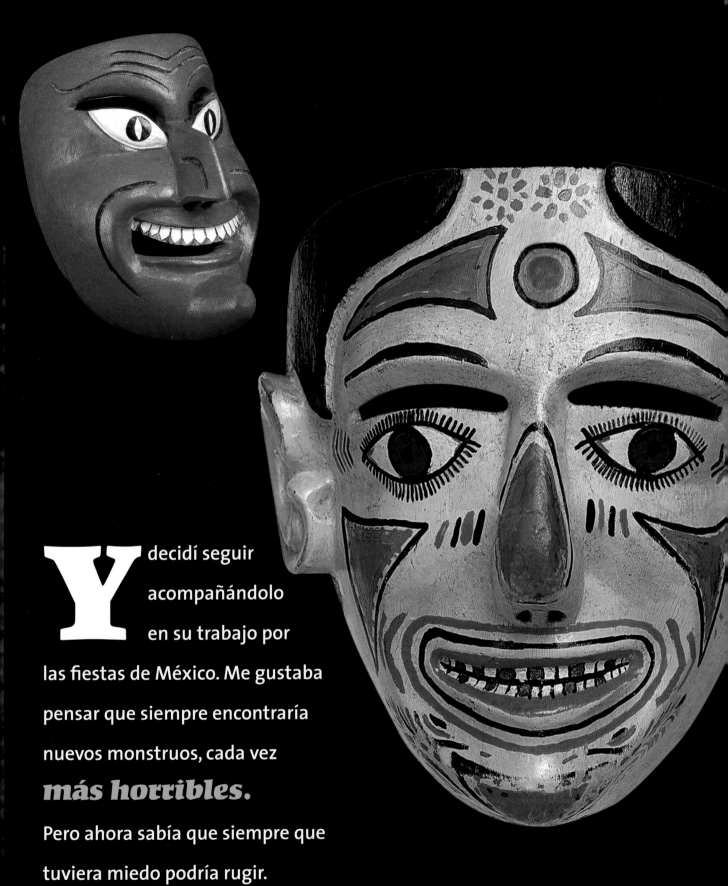

Y decidí seguir acompañándolo en su trabajo por las fiestas de México. Me gustaba pensar que siempre encontraría nuevos monstruos, cada vez **más horribles.** Pero ahora sabía que siempre que tuviera miedo podría rugir.

Siempre podría bailar y divertirme con ellos.

Y lo mejor... es que podría ser su amigo.

O jugar a disfrazarme de **monstruo**.

Como papá, que se vestía como tigre para enseñarme

a no tener miedo. Y creía que yo no me daba cuenta

de que el monstruo de Guerrero que se había hecho

mi amigo usaba su misma camisa de cuadritos.

¿Quiénes son los monstruos que viven en este libro?

Puedo ser yo o puedes ser tú, o puede ser cualquiera que baile con una máscara en las fiestas tradicionales de México.

Judío cora.
Jesús María, Nayarit.
Papel moldeado.
Estos monstruos bailan en la Semana Santa. Se van pintando la cara y el cuerpo conforme pasan los días, hasta que quedan en verdad horribles.

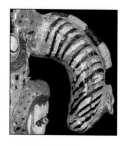

Judío cora.
Jesús María, Nayarit.
Cartón y espinas de cactus.
Al terminar las fiestas de Semana Santa, estos monstruos se quitan sus máscaras para arrojarlas al río. Y así las vemos flotar hasta que desaparecen. Y entonces parece que los monstruos al fin se ahogaron.

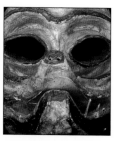

Tastoán.
Santa Cruz de las Huertas, Jalisco.
Cuero moldeado y cosido, cabello de ixtle.
Este monstruo y sus amigos bailan el 25 de julio en la fiesta de Santo Santiago. Durante la danza, pelean con el Santo que va a caballo repartiéndoles espadazos, hasta que los deja todos turulatos.

Calaca.
Naolinco, Veracruz.
Madera tallada, pintada y barnizada.
Este monstruo baila el día de san Mateo, que es el patrono de este lugar. Pertenece a la cuadrilla de los moros, que son los enemigos. Y por eso tiene esa cara que da miedo.

Personaje de la mojiganga.
Teloloapan, Guerrero.
Madera tallada y pintada, cuernos de res y chivo.
Este monstruo baila en la fiesta del 16 de septiembre, en una cuadrilla en la que todos son feísimos. Lo increíble es que, cuando termina de danzar, las autoridades le dan un premio al que tiene la cara más espantosa.

Diablo.
Chapa, Guerrero.
Madera tallada y pintada, cuernos y colmillos de chivo.
Si no te asustas, puedes jugar con la lengua de este monstruo: para adentro, para afuera, para adentro...

Diablo rey pame.
Ciudad del Maíz, San Luis Potosí.
Madera tallada y pintada, dientes de hueso, cabello, barba y bigotes de crin de caballo.
A este monstruo le gusta bailar en la Semana Santa, cuando pelea contra los soldados de Cristo.

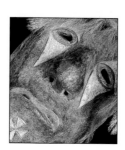

Pascola yaqui.
Potam, Sonora.
Madera tallada, cabello, cejas y barba de crin.
Este monstruo baila en la Semana Santa, en la danza del venado. Siempre lleva el torso y los pies desnudos y toca una sonaja y otros instrumentos con los que él y otros monstruos hacen un gran escándalo.

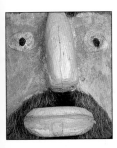

Chapayeca yaqui.

Vicam, Sonora.

Piel cosida y moldeada.

Estos monstruos de nariz puntiaguda
se llaman *chapayecas*, que quiere decir
"nariz larga" en yaqui. Les gusta bailar
en la Semana Santa, pero siempre
en absoluto silencio.

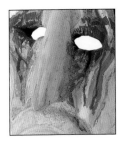

Fariseo.

San Bartolo Aguacaliente, Guanajuato.

Madera tallada y pintada.

A este monstruo le gusta bailar en
Semana Santa. Parece que le gustan
los golpes, porque durante la fiesta
se pone a dar latigazos a quien se
le cruce enfrente.

Tigre.

Zitlala, Guerrero.

Cuero cosido y pintado, barba
y bigotes de púas, ojos de espejo.

Este monstruo pelea con otros tigres
en una sangrienta batalla. Sus
enemigos son de diferentes barrios.
La batalla sucede antes de la cosecha.

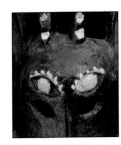

Chivo.

Suchitlán, Colima.

Madera tallada y pintada.

Este monstruo baila el 3 de mayo
en la danza de los morenos. En esta
fiesta bailan el burro con la burra,
el coyote con la coyota, el chivo
con la chiva...

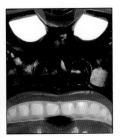

Negrito de la danza de tejorones.

Huauzolotitlán, Oaxaca.

Madera tallada, pintada y barnizada.

Este monstruo baila durante el carnaval.
Le gusta hacer bromas con la gente
de la fiesta, aunque luego hay quien
no se aguanta.

Diablo.

Naolinco, Veracruz.

Madera tallada, pintada y barnizada.

Este monstruo baila en la cuadrilla de los
moros, junto con otros que dan miedo como
él. Son el grupo de los enemigos, y andan
brincoteando por todas partes.

Negrito.

Uruapan, Michoacán.

Madera laqueada.

Este monstruo brilla tan bonito porque
su máscara fue pintada con un material
que se llama maque o laca, que es típico
de esta región. A lo mejor por eso es que
estos monstruos se ven tan amigables.

Payaso de la danza de matarachines.

Sierra de Puebla.

Madera tallada y pintada.

Dicen que hace muchos años pasó un circo
por el lugar donde viven estos monstruos.
Y todos pensaron que los payasos eran tan
divertidos, que quisieron parecerse a ellos.

Viejito.

Uruapan, Michoacán.

Madera laqueada y dientes incrustados.

Este monstruo tiene cara de abuelito,
también lleva un bastón con el que
golpea el piso. Pero baila y baila.
Y no se cansa.

PÁGINAS 28 Y 29:
Estos monstruos se llaman los mecos y bailan
en el carnaval de un pueblo de la huasteca
hidalguense, que se llama Taimoyón II.

FIN